LES DINONOUS

Il pleut, il mouille!

En souvenir d'Andrea Stern
—S.M.

Catalogage avant publication de la Bibliothèque nationale du Canada

Metzger, Steve

   Il pleut, il mouille! / Steve Metzger ; illustrations de Hans Wilhelm ;
texte français de Isabelle Allard.

(Les Dinonous)
Traduction de: Rain! Rain! Go away!.
Pour enfants de 3 à 6 ans.
ISBN 0-439-97552-2

I. Wilhelm, Hans, 1945- II. Allard, Isabelle III. Titre.
IV. Titre: Dinonous : il pleut, il mouille!. V. Collection.

PZ23.M487Il 2003   j813'.54   C2002-904832-X

Édition publiée par Les éditions Scholastic,
175 Hillmount Road, Markham (Ontario) L6C 1Z7.

5 4 3 2 1   Imprimé au Canada   03 04 05 06

LES DINONOUS

Il pleut, il mouille!

Steve Metzger

Illustrations de Hans Wilhelm

Texte français d'Isabelle Allard

Les éditions Scholastic

Aujourd'hui, le soleil brille.

— C'est l'heure d'aller dehors, dit Mme Dé en regardant l'horloge.
Les Dinonous se placent en file devant la porte.

— Je vais jouer à Cendrillon, dit Tracy. Joshua, veux-tu être le
prince Charmant?

— Ah, non! répond Joshua. Je vais escalader la tour et faire
semblant que c'est une fusée. Je vais m'envoler vers la Lune!

— Moi, je vais creuser un tunnel dans le bac à sable, dit Albert.
Puis je vais y faire passer des camions et des autos.

— Vous avez plein de bonnes idées, dit Mme Dé. Vous allez bien
vous amuser dehors!

Mais tout à coup, le ciel s'assombrit. Des gouttes commencent à tomber, puis il pleut de plus en plus fort.

— Oh, non! s'écrie Tara. Maintenant, on ne peut plus aller dehors.

— J'avais vraiment envie de creuser un tunnel, dit Albert d'une voix triste.

— C'est une journée ratée, dit Brendan.

Puis Joshua se met à chanter :

Il pleut, il mouille,
tant mieux pour les grenouilles!
Il pleut à boire debout,
tant pis pour les Dinonous!

Quelques instants plus tard, un éclair illumine le ciel, suivi d'un gros coup de tonnerre.

— Je n'aime pas le tonnerre, dit Albert. Ça me fait mal aux oreilles.

— Ne t'inquiète pas, dit Brendan. C'est seulement du bruit. Regarde, moi, je n'ai pas peur!

Soudain, il y a un autre éclair et un coup de tonnerre encore plus fort.

10

— C'est sûrement un monstre! s'exclame Brendan en se cachant sous une table. Va-t'en, vilain monstre!

— Ce n'est pas un monstre, Brendan, dit Mme Dé. C'est seulement du bruit, comme tu l'as dit.

Elle se tourne vers les autres enfants et leur dit :

— Je suis désolée que vous ne puissiez pas aller dehors. Voulez-vous que je vous raconte une histoire?

Ils font signe que non.

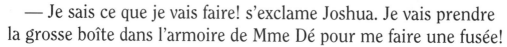

— Je sais ce que je vais faire! s'exclame Joshua. Je vais prendre la grosse boîte dans l'armoire de Mme Dé pour me faire une fusée!

— Bonne idée, dit Mme Dé.

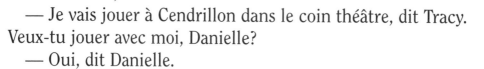

— Est-ce que je peux jouer avec toi? demande Tara. Je veux aller sur la Lune, moi aussi.

— D'accord, dit Joshua.

— Je vais jouer à Cendrillon dans le coin théâtre, dit Tracy. Veux-tu jouer avec moi, Danielle?

— Oui, dit Danielle.

— Je pourrais creuser un tunnel dans le bac à sable de la classe, dit Albert. Je vais prendre des camions plus petits pour traverser le tunnel.

— Je vais t'aider, propose Brendan.

— Bon, dit Mme Dé, vous ne manquez pas d'idées, à ce que je vois. Je suis contente de voir que la pluie ne vous a pas découragés.

Mme Dé sort une grande boîte de carton de l'armoire.
Elle découpe une porte et deux fenêtres. Joshua et Tara entrent
à l'intérieur et s'apprêtent à décoller vers la Lune.

Pendant ce temps, Tracy joue à Cendrillon et balaie le plancher.
Danielle fait semblant d'être une petite souris qui lui donne un
coup de main.

Albert et Brendan creusent un tunnel dans le bac à sable,
mais leur tunnel n'arrête pas de s'effondrer.

— Madame Dé! Madame Dé! crie Albert. Le sable est trop sec.
Est-ce qu'on peut ajouter de l'eau?

— D'accord, dit Mme Dé. Mais juste un peu!
Albert et Brendan remplissent des seaux et versent de l'eau dans le bac à sable.

Dans le coin théâtre, Tracy dit à Danielle :

— Bon, maintenant, tu vas être une affreuse belle-sœur.

— Non, proteste Danielle. Je ne veux pas être affreuse. J'aime mieux faire de la peinture.

Elle se dirige vers le chevalet.

Je vais faire un arc-en-ciel, se dit Danielle. *Est-ce que je devrais faire le haut jaune ou rouge?* Elle examine les pots de peinture pour choisir les couleurs.

21

Dans la fusée, Joshua montre à Tara une tache noire sur un côté de la boîte.

— C'est le bouton de décollage, dit-il. Commençons le compte à rebours, puis je vais appuyer sur le bouton. Prête? Dix… neuf… huit…

— C'est moi qui vais appuyer sur le bouton! s'écrie Tara en poussant Joshua.

— Madame Dé! appelle Joshua. Tara m'a poussé!

— J'arrive, dit Mme Dé.

Entre-temps, Brendan et Albert, qui ont complètement oublié leur tunnel, vident beaucoup de seaux d'eau dans le bac à sable.

— On s'amuse bien! s'écrie Albert.

— Oh, oui! dit Brendan en vidant un autre seau d'eau.

Tracy, qui fait semblant d'être Cendrillon au bal, se fait éclabousser.

— Madame Dé! Madame Dé! crie-t-elle. Brendan m'a arrosée!
Je suis toute mouillée!

Mme Dé ne sait plus où donner de la tête. Tout à coup, elle regarde par la fenêtre.

— Hé, les enfants! Il a cessé de pleuvoir!

Tout le monde s'approche de la fenêtre… sauf Danielle.

— Il ne pleut plus! dit Joshua en souriant.

— Allons jouer dehors! dit Tara.

— Non, dit Danielle de l'autre bout de la classe. Je viens de commencer mon arc-en-ciel. Je veux rester ici!

27

— Tu ne peux pas rester toute seule, dit Mme Dé.

— Je ne veux pas aller dehors, dit Danielle.

— Danielle, dit Tracy. Viens voir le ciel. Tu vas vraiment aimer ça!

Danielle marche lentement vers la fenêtre et regarde dehors.

— Un arc-en-ciel! s'exclame-t-elle. Un vrai de vrai!

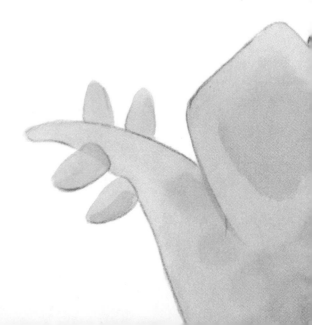

Mme Dé ouvre la porte et les Dinonous se précipitent
à l'extérieur.

En courant vers la tour d'escalade, Joshua chante une nouvelle chanson :

Il ne pleut plus,
le soleil est revenu,
et, dans le ciel,
il y a un bel arc-en-ciel!